CW00544676

Margarida Fonseca Santos

Rafaela

Ilustrações de Inês do Carmo

EDITORIAL PRESENÇA

www.margaridafs.net

FICHA TÉCNICA

Título: *Rafaela*
Autora: *Margarida Fonseca Santos*

Capa e ilustrações: *Inês do Carmo*
Fotocomposição, impressão e acabamento: *Multitipo — Artes Gráficas, Lda.*
1.ª edição, Lisboa, Dezembro, 2007
Depósito legal n.º 267 275/07

EDITORIAL PRESENÇA
Estrada das Palmeiras, 59
Queluz de Baixo
2730-132 Barcarena
Email: info@presenca.pt
Internet: http://www.presenca.pt

À minha amiga Elsa

Rafaela era uma menina bem-disposta, cheia de uma alegria contagiante. À medida que crescia, todos diziam o mesmo:

– Que engraçada que tu és!

– Parece que vive num sonho, não é?

– Sempre com um sorriso!

– Esta criança nunca está triste!

Era bom ouvir estas coisas, claro, mas a Rafaela achava que as pessoas não sabiam bem a razão daquela satisfação toda.

O seu segredo estava na imaginação que tinha. Podia brincar como queria, com quem queria, inventar mundos incríveis e decidir as leis para cada um deles. Rafaela conseguia que as discussões e as guerras se dissolvessem. Punha de castigo quem não cumpria as regras e acabava sempre por levá-los a perceber essas mesmas regras. Transformava as coisas más em, pelo menos!, coisas quase boas. Podia falar com personagens extraordinárias, sábias, que faziam magia... Conhecia várias que voavam e que lhe ofereciam passeios por terras distantes. Outras que podiam levá-la ao fundo do mar. Chegou a visitar o centro da terra no dorso de uma toupeira brincalhona.

E assim foi durante uns tempos. Brincava, sonhava, brincava, sonhava...

Só que, como era inevitável, Rafaela cresceu e...

Já ninguém dizia que era engraçada... As coisas começaram a correr de uma forma muito diferente. Ouvia, nas suas costas:

– Lá está ela com a cabeça nas nuvens!

Ou...

– Até com a própria sombra ela fala!

– Não sei o que vai ser desta rapariga...!

– Não deve ser normal...

Rafaela começou a ficar um bocadinho preocupada. Então aquilo que era tão engraçado antes era agora uma coisa estranha?!

Passou a ser conhecida como «uma criança com muita imaginação». E isso era bom? Ela não sabia. Dito assim, com os olhos muito abertos e baixinho para mais ninguém ouvir era sinal de não ser nada de bom.

Era admirada ou odiada? Não tinha bem a certeza... Só para alguns é que Rafaela era uma criança fora do vulgar no bom sentido. Ela só queria ser uma criança normal, igual às outras... Não queria ser fora do vulgar! Mas não havia nada a fazer. Para uns, muito poucos, era fantástica, para outros, a grande maioria, era quase louca.

Na escola, era posta de lado porque tinha ideias que mais ninguém tinha. Ficava tão atrapalhada com a fúria da professora que chegava a ter medo que as ideias nunca mais aparecessem! Quando era preciso inventar uma história, Rafaela ficava tão contente que pegava rapidamente no papel. As imagens surgiam-lhe mesmo em frente dos olhos e a história começava a crescer, a crescer. Mas, vejam lá!, a professora chamava-a sempre à atenção, a olhar por cima dos óculos, e dizia:

– Vê lá se escreves alguma coisa de jeito, Rafaela. Não te ponhas a magicar disparates!

E, de um momento para o outro, tudo parecia fugir. Ela bem tentava convencer as ideias a ficarem só mais um bocadinho, mas estas desapareciam apavoradas. Rafaela olhava para trás e ainda conseguia vê-las a abrir a porta da sala de aula e correr. Restava-lhe a folha de papel. Estava lá um início de uma história que já não tinha sentido, que já não tinha personagens, que já não tinha nada para contar. Então começava a escrever umas coisas muito sem graça, às vezes até um bocado tristes, e levava muito tempo a chegar ao fim, muito tempo mesmo...

Quando a professora lia a história, zangava-se outra vez.

– Mas tu não tens emenda?! Ou escreves coisas disparatadas ou coisas que não interessam a ninguém! Às vezes sabes o que é que me parece, Rafaela?

– Não...

– Que fazes de propósito para me pores doente!

E zás!, num instante, na cabeça da Rafaela, aparecia uma professora com verrugas e cabelos queimados, cheia de febre. A imagem desaparecia de repente porque a professora dava um grito:

– Rafaela!

– Sim...?

– Ouve o que eu te digo!

E Rafaela ouvia, ora se não ouvia... O problema era mesmo esse. Bastava um grito daqueles para as verrugas fazerem as malas. Nem a febre ficava nem os cabelos se mantinham espetados. Dissolvia-se tudo no ar!

Nos intervalos, ia para o jardim. Brincava quase sempre sozinha. Não era por vontade sua, não. O problema era que os outros meninos não conseguiam ver o mesmo que ela e, envergonhados, afastavam-se. Os colegas não imaginavam um castelo a arder, ou um rio cheio de peixes às cores, ou uma princesa corajosa. Iam tentando, mas desistiam facilmente.

O jardineiro da escola é que tinha paciência para ela, como dizia a professora. Sentava-se ao lado da Rafaela e ia-lhe dando umas achegas:

– Tem cuidado que há um mau escondido atrás da torre...

– Qual delas?

O homem pensava e dizia:

– A do meio.

– Vou já tratar dele!

E o mau era rapidamente dominado. Quando Rafaela sorria para ele, o jardineiro ria-se:

– Foi por pouco! Estava quase a entrar nos aposentos da rainha!

– Se não fosse o senhor...

– Olha ali! Tens um dragão novo a nascer.

E punham-se os dois a olhar para o pequeno dragão. Que engraçado vê-lo a esticar as patas e a empurrar as cascas do ovo! Quem os visse, diria que estavam mas era a olhar para um montinho de pó no pátio da escola. Não viam o mesmo que eles...

Mas os problemas de Rafaela não ficavam por ali. Em casa, era posta de castigo por estar sempre a mentir... Alguém saberia o significado de imaginar?! Os pais assustavam-se com as suas invenções e falavam sempre de mentira. Rafaela ficava tão magoada que chegava a chorar para dentro, daquelas lágrimas que só nós sabemos que temos, para não dar parte de fraca.

Habituou-se a brincar sozinha no quarto, com a porta fechada. Combinou com os seus amigos imaginários que, assim que entrasse alguém, eles deviam tornar-se transparentes. O truque funcionava na perfeição. A porta abria-se...

– Então, filha? Já acabaste os trabalhos de casa?

– Já, fiz logo quando cheguei.

– E o que é que estás a fazer aí no chão...?

– Eu... eu... estou à procura de um *clip* que caiu.

– Queres ajuda?

– Obrigada, mãe, eu gosto de procurar.

E a porta fechava-se. Todos voltavam a ser visíveis, gritando de alegria por terem escapado mais uma vez. Rafaela nunca lhes disse a verdade. Ela sabia que os pais nunca os veriam, mas era tão engraçado fazer de conta que sim!

O certo era que Rafaela vivia um pouco triste. Não tinha amigos como os outros meninos. O que lhe valia era o que conseguia imaginar, o que conseguia ver, as personagens com quem conseguia falar.

E assim ia passando os dias. Os seus amigos invisíveis eram simpáticos, os mundos que inventava eram incríveis, as histórias que vivia eram muito divertidas.

Mas há quem diga que, para tudo, há uma razão. E assim pareceu, naquele dia. Eu conto-vos como foi.

Rafaela chegou à escola à hora do costume. Achou que estava tudo muito silencioso e estranhou. Procurou o jardineiro para lhe dar os bons-dias e não o encontrou. Estaria doente? Talvez não. Uma ocupação qualquer tinha-o levado para longe dos canteiros. Mas onde estavam os seus colegas?!

Foi até à sala de aula. Pelo caminho foi vendo como tudo estava no sítio – os casacos pendurados nos cabides, as mochilas encostadas à parede, um monte de bolas para jogarem no intervalo, aquele cheiro de escola a passear no corredor.

Só quando entrou na sala é que percebeu que qualquer coisa tinha mesmo acontecido. Os outros miúdos amontoavam-se a um canto, de olhos muito abertos, agarrados ao jardineiro que não estava com melhor cara. O que se passava? Pois já vos digo.

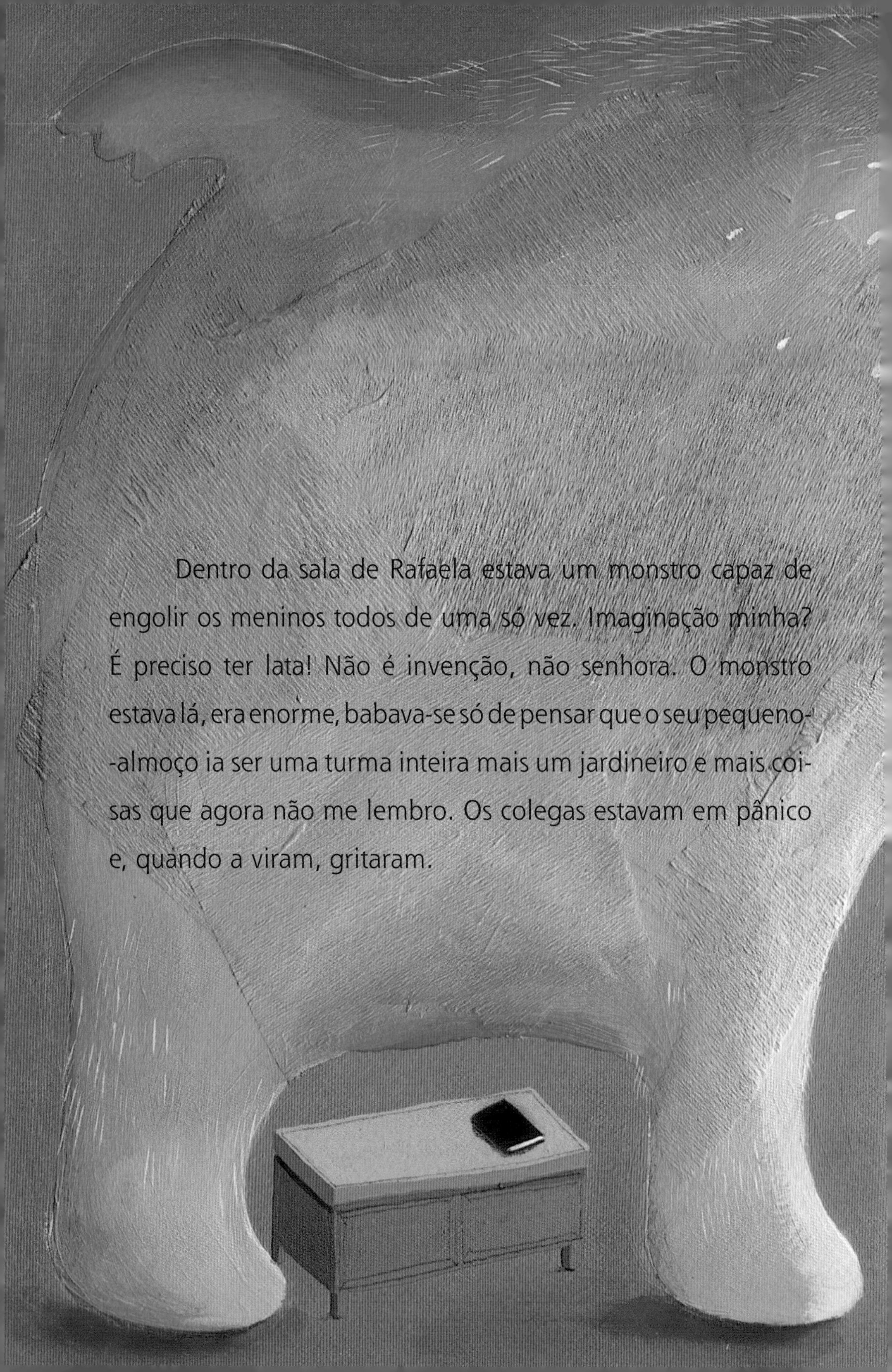

Dentro da sala de Rafaela estava um monstro capaz de engolir os meninos todos de uma só vez. Imaginação minha? É preciso ter lata! Não é invenção, não senhora. O monstro estava lá, era enorme, babava-se só de pensar que o seu pequeno-almoço ia ser uma turma inteira mais um jardineiro e mais coisas que agora não me lembro. Os colegas estavam em pânico e, quando a viram, gritaram.

O que é que podia fazer? O monstro era muito, mas muito maior que ela. E as pernas de Rafaela começavam já a tremer um bocadinho. Só havia uma solução: lutar! Lutar com quê?, perguntam vocês. Ora... Lutar com imaginação, ou melhor, lutar com a imaginação. Querem saber como?

Rafaela começou por fazer de conta que o monstro não a assustava. Era uma poderosa manobra. Os monstros estão sempre à espera que as pessoas morram de medo quando eles aparecem. Às vezes, as pessoas morrem de medo tão depressa que eles nem precisam de fazer um grande esforço...

Agora ver uma miúda pequena sem medo dele, isso não! O monstro não estava preparado para tal acontecimento. Posso dizer-vos mesmo que há quem diga (e não fui eu) que as pernas do monstro tremeram um pouco. Era natural, não acham?

– O que é que se passa aqui? – perguntou a Rafaela com um ar zangado.

– Prepara-te! Vais desaparecer num instante...

– Quem vai desaparecer és tu!

– Isso é que era bom!

Rafaela riu-se. Eu posso dizer-vos que o riso foi muito forçado, mas como o monstro estava já assustado com aquela miúda, não notou.

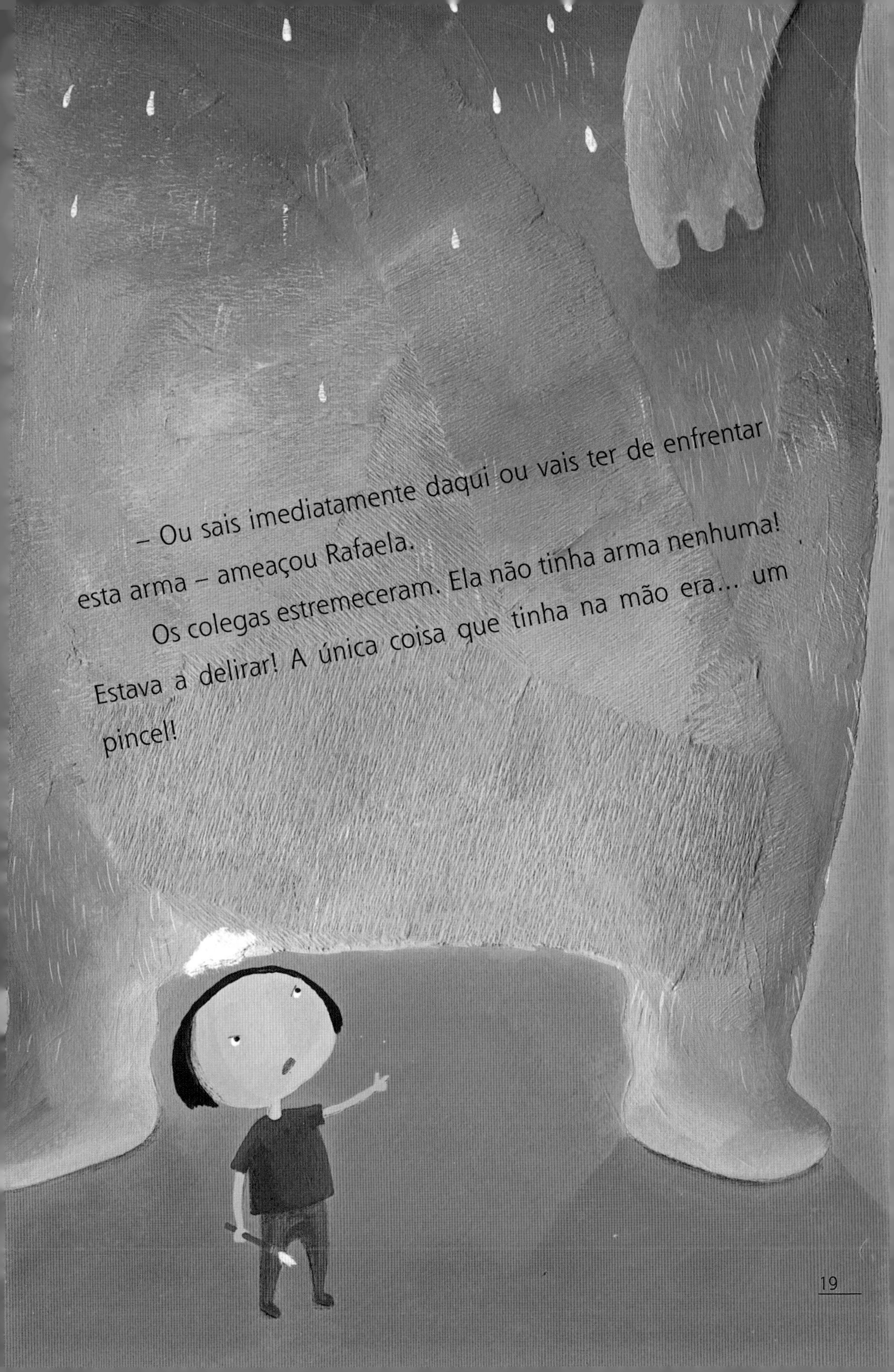

– Ou sais imediatamente daqui ou vais ter de enfrentar esta arma – ameaçou Rafaela.

Os colegas estremeceram. Ela não tinha arma nenhuma! Estava a delirar! A única coisa que tinha na mão era… um pincel!

Mas, de repente, viram tudo. Nas mãos de Rafaela, aquele pincel, era uma arma aterradora! O pobre do monstro é que não via o perigo nem percebia bem o que é que se passava. Toda a turma olhava para as mãos da Rafaela. O monstro só via um lápis cabeludo, pois o desgraçado nem sabia o que era um pincel. Sobretudo, o monstro não sabia que um pincel nas mãos de uma criança com tanta imaginação era algo muito perigoso. Pensou se aquilo seria uma arma capaz de o destruir. Seria...?

O monstro não sabia o que era aquilo, nem podia adivinhar se aquela coisa disparava ou não mas, à cautela, deu um passo atrás.

– Sai imediatamente daqui! – repetiu Rafaela.

O monstro ganhou coragem e, usando o mesmo truque que ela usara, riu-se. Fez vibrar as paredes e ainda lhe caiu mais baba da boca. Um nojo...!

– Não vamos conseguir... – gemeu um dos miúdos.

Rafaela olhou para ele com surpresa. Não se zangou, só se limitou a dizer com voz firme:

– Se conseguires pensar que sim, conseguimos de certeza.

Pronunciou estas palavras com tanta convicção que o miúdo acenou que sim, conseguia. Ela sorriu.

Quem não se mexia dali para fora era o monstro.

– Então? Sais ou não sais?

– Isso é que era bom!

O jardineiro pensou que o monstro não tinha lá grande imaginação. Dizia sempre a mesma frase...!

– Ou sais imediatamente ou eu chamo a polícia!

– E essa arma? – perguntou uma menina de camisola azul.

– É tão forte que o ia desfazer em mil pedaços. Dava uma trabalheira a limpar – respondeu a Rafaela.

O monstro arrepiou-se. Devia ser verdade! Aquilo que estava nas mãos de Rafaela devia ser mesmo uma arma e era tão poderosa que o faria em fanicos!

Mal sabiam os colegas que ela não sabia bem como é que aquilo se disparava. Ela nunca usara o pincel para enfrentar monstros. O caso estava um pouco complicado. O ideal seria confiar o assunto a forças especializadas. Chamar a polícia era a melhor solução.

Do nada começaram a soar as sirenes. O monstro deu mais uns passos para trás, enquanto olhava pela janela. Não via nada!

Os miúdos espreitaram lá para fora. Seria possível? Era! O pátio estava cheio de polícias! Só o monstro é que não os via!

Sim, sim, eu conto. Os polícias eram da Brigada Especial Anti-Monstros, eram especialistas em monstros que invadem escolas. A Rafaela só chamava profissionais!

Entraram na sala com alarido. Os miúdos encolheram-se ainda mais. As armas de que dispunham eram iguais à da Rafaela, mas os polícias tinham a grande vantagem de saber como disparar aquilo. O monstro não percebia nada do que se estava a passar, mas sabia que algo tinha entrado naquele espaço... Pareceu-lhe até ouvir vozes de comando!

Rafaela falou com os polícias imaginários. Dialogavam sem ligar ao desgraçado do monstro que não sabia bem o que fazer. Que raios! Sempre fora facílimo atacar escolas pela manhã, quando os miúdos ainda estão ensonados. Que maçada! E aquela rapariga estava a falar com quem?! Não lhe parecia nada bem este desfecho...

Rafaela e os polícias combinaram como haviam de vencer o monstro. Iriam cercá-lo e disparar para o ar para o assustar. Devia ser o suficiente para que ele começasse a fugir. Se não resultasse, passariam ao plano B.

– Muito bem, se não conseguirmos...

– Plano B – confirmou Rafaela.

«Plano B»? Mas o que é que é um plano B?! O monstro tinha o coração aos pulos. Ai, desculpem... Excedi-me! Os monstros não têm coração, têm um motor a pilhas de má qualidade! Mas vai a dar no mesmo. Aquela geringonça começou a bater muito mais depressa, quase aos pulos.

Para dizer a verdade, eu é que fiquei com o coração aos pulos, naquele momento. É que não havia Plano B, estão a ver? Não havia...!

Era preciso começar a actuar. Rafaela deu uns passos na direcção do monstro. Os polícias da Brigada Especial acompanharam-na e cercaram o monstro. Tudo isto se passou enquanto ele tentava perceber se aquela arma aterradora na mão da Rafaela podia disparar. Não percebia e apenas sentia umas presenças ali por perto. Observava os olhos dela a confirmar as posições dos outros, mas não sabia onde estavam!

Atacaram-no enquanto o desgraçado do monstro tentava fazer de conta que não tinha medo da Rafaela. Só que este monstro treinara muito pouco este truque. Toda a gente se apercebeu de que ele estava assustadíssimo. Dispararam para o ar e o monstro sentiu uns golpes de vento mesmo ao lado da sua cabeçorra.

O medo começou a tomar conta dele e, então, deu-se o inesperado.

Ai, não me apressem! Eu já conto, que coisa...!

O que aconteceu foi incrível! De um momento para o outro o monstro acreditou na arma da Rafaela. Percebeu que era mesmo aterradora, agora que ele a observava bem... Achou que os seus dias tinham chegado ao fim!

E, olhando bem, a sala estava cheia de polícias! Tinham fatos especiais e, ou ele se enganava muito, ou eram especialistas em lutas contra monstros. Eram da Brigada Especial Anti-Monstros!!!

– Meu Monstro Sagrado! – gritou o monstro.

Esta teve graça, coitado. Afinal, até os monstros têm os seus deuses. Só que este devia estar zangado porque não ajudou nadinha...

Vendo melhor, o monstro percebeu que eram tantos os polícias que ele nem conseguia contá-los. Não estudara muito e, em acabando os dedos das mãos, não sabia mais. Só sabia contar até seis. Estavam ali para cima de quinze polícias, imaginem bem a atrapalhação do monstro. Achou que eram centenas!

Sem saber mais o que fazer, restava ao monstro uma solução – fugir. Era a melhor de todas, sem dúvida. E sabem o que aconteceu?

O monstro fugiu, dissolvendo-se em pó, porque foi assim que a Rafaela imaginou que seria. Os colegas saltaram de alegria e alívio, espantados por terem visto o monstro desaparecer exactamente como cada um, em segredo, tinha imaginado que ia acontecer.

O chefe dos polícias deu ordem para guardarem as armas. Um deles tinha uma vassoura e um saquinho, e apanhou um resto de pó que o monstro tinha deixado no chão. Onde quer que aquele monstro fosse parar, ia faltar-lhe um bocadinho... Mas não podiam deixar a sala suja!

Quando tudo sossegou, Rafaela despediu-se dos polícias. Foram até aos carros estacionados no pátio da escola e saíram, agora já sem as sirenes ligadas. Disseram adeus a Rafaela do portão.

Na sua mão, por muito estranho que isto vos pareça, ainda tinha a arma: o pincel. Deixou que os colegas o observassem e voltou a pousá-lo no seu lugar, junto aos outros.

Estava tudo resolvido. O jardineiro passou por ela e despenteou-lhe os cabelos.

– Bom trabalho, Rafaela!

– Oh…

O homem sorriu e foi ver como estavam as suas plantas lá fora. Não havia estragos a lamentar, apesar da confusão.

Rafaela sentou-se na sua secretária, a tentar fingir que não ouvia os comentários dos colegas. Era impossível… Os miúdos estavam tão excitados com os acontecimentos que não paravam de dizer que ela era fantástica.

– Não sou nada…! Todos podiam ter feito a mesma coisa!

Um dos rapazes chegou-se a ela. Tinha sido ele a duvidar que Rafaela conseguisse vencer o monstro.

– Então? – perguntou ela a rir.

– Eu acho que ajudei um bocadinho. Pensei com muita força que o monstro se ia transformar em pó…

– Também eu! – disse uma menina.

– E eu!

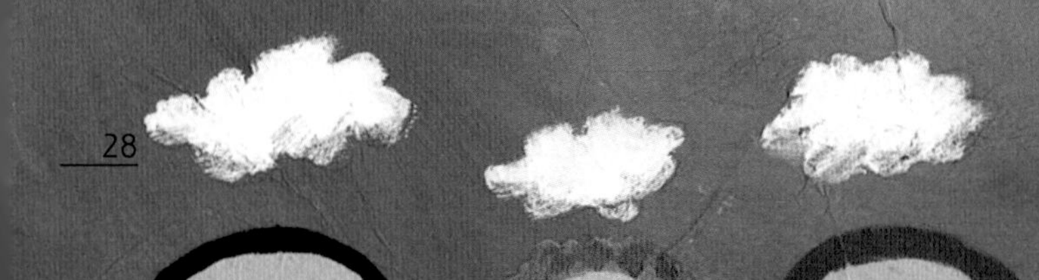

– Vêem? – comentou a Rafaela. – Conseguimos todos!

Foi então que ouviram tossir. A professora estava à porta a olhar para a sua turma. Atrás dela o jardineiro, entusiasmado, contava o que acontecera. Ela esteve quase para dizer que o monstro nunca existira mas... Pois é, há sempre um *mas*.

Por cima da secretária da professora, salpicando os quadros da parede, estavam várias marcas de tinta. Pareciam tiros! Qualquer pessoa podia ver que não eram imaginação!

A professora atravessou a sala e tentou tocar num. Este desfez-se em vapor, tal como os outros, no mesmo instante. O silêncio preenchia a sala. Os olhos da professora pousaram na Rafaela.

– Ninguém se... magoou?

– Não, professora. Assustámo-lo e ele fugiu.

– Foste tu que disparaste aqueles... tiros...?

– Não – ajudou o jardineiro. – Foram os polícias da Brigada Especial Anti-Monstros.

– Brigada Especial Anti-Monstros... – disse a professora sem conseguir acreditar nem deixar de acreditar.

– Ele não volta, professora, não se preocupe – disse um menino. – Nós agora sabemos todos o que podemos fazer.

A senhora hesitou. Sorriu sem grande convicção.

– Ainda bem... Ainda bem...

Pousou a pasta na secretária, tirou o casaco com vagar e suspirou. Foi um suspiro tão profundo que a Rafaela percebeu que, naquele preciso momento, a professora tinha começado a pensar de outra forma.

Quando chegou a casa nesse dia, Rafaela encontrou os pais na sala à sua espera. Pareciam querer falar de coisas difíceis. A história teria voado até ali? Iriam ralhar com ela? Iriam pô-la de castigo...?

Nada disso. Então vocês acham que eu me ia dar ao trabalho de vos contar uma história que acabasse pior do que começou? Tontos...

O que os pais da Rafaela tinham para lhe dizer era simples. A mãe, num impulso que não sabia explicar, acompanhara de perto a filha naquela manhã. Andava tão preocupada com a sua imaginação, com as suas invenções, que não sabia sequer se Rafaela ia para a escola. Presenciou a cena da porta da sala.

– Viste tudo, mãe?!

– Acho que não, Rafaela, mas tenho pena. Houve coisas que não consegui imaginar como eram e... não as vi. Contas-nos tudo direitinho?

E Rafaela começou a contar. Estava tão entusiasmada por sentir que os pais a queriam ouvir que até se engasgou. A mãe ia dando pormenores do pouco que vira.

Eu acho, mas sou eu, percebem?, que a mãe viu quase tanto como o monstro. As coisas que ela perguntava eram mesmo de quem não conseguiu perceber o perigo da arma, de quem não conseguiu ver os polícias...

A vida da Rafaela mudou nesse dia. Todos perceberam finalmente a força que a Rafaela tinha ao imaginar e aprenderam a fazer como ela. Até começaram a falar com os amigos invisíveis que apareciam para brincar com eles.

A vida da professora... oh!, essa mudou realmente. Começou a deixar-se envolver nas histórias dos seus alunos e, podem ter a certeza, começou também a inventar, a ver e a sentir muitas coisas que nunca antes imaginara.

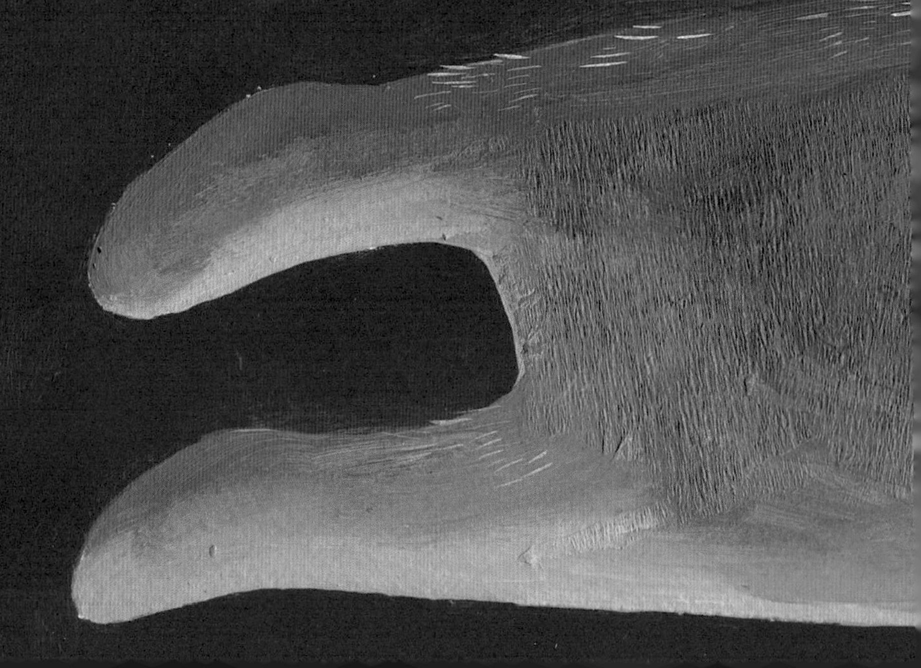

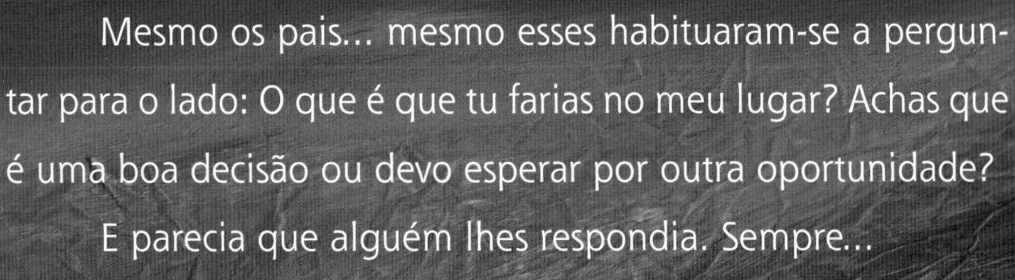

Mesmo os pais... mesmo esses habituaram-se a perguntar para o lado: O que é que tu farias no meu lugar? Achas que é uma boa decisão ou devo esperar por outra oportunidade?

E parecia que alguém lhes respondia. Sempre...

Tudo perfeito!

... não fosse a directora da escola ter dito que o monstro não existia...

Ora!, ela sabia lá!!!

1. *O Menino Que não Gostava de Ler,* Susanna Tamaro
2. *Os Brincalhões,* Roddy Doyle
3. *Amarguinha,* Tiago Rebelo
4. *Joana e o Golfinho,* Sergio Bambarén
5. *Uma Prenda Muito Especial,* Margarida Fonseca Santos
6. *A Pulga Salta-pocinhas e os Grãos de Areia,* Margarida Damião Ferreira
7. *Amarguinha Tem Um Irmão,* Tiago Rebelo
8. *Histórias do Frik — Chamo-me Frik e já Tenho Dono,* Margarida Fonseca Santos
9. *Histórias do Frik — O Meu Primeiro Natal,* Margarida Fonseca Santos
10. *Amarguinha e a Peça de Teatro,* Tiago Rebelo
11. *A Noite dos Animais Inventados,* David Machado
12. *Histórias do Frik — Um Dia na Praia,* Margarida Fonseca Santos
13. *A História dos Brincos de Penas,* Maria Teresa Maia Gonzalez
14. *Histórias do Frik — A Festa de Passagem de Ano,* Margarida Fonseca Santos
15. *Margarida na Lua,* Maria Teresa Maia Gonzalez
16. *Os Quatro Comandantes da Cama Voadora,* David Machado
17. *A Menina Que Voava,* Maria Teresa Maia Gonzalez
18. *Rafaela,* Margarida Fonseca Santos

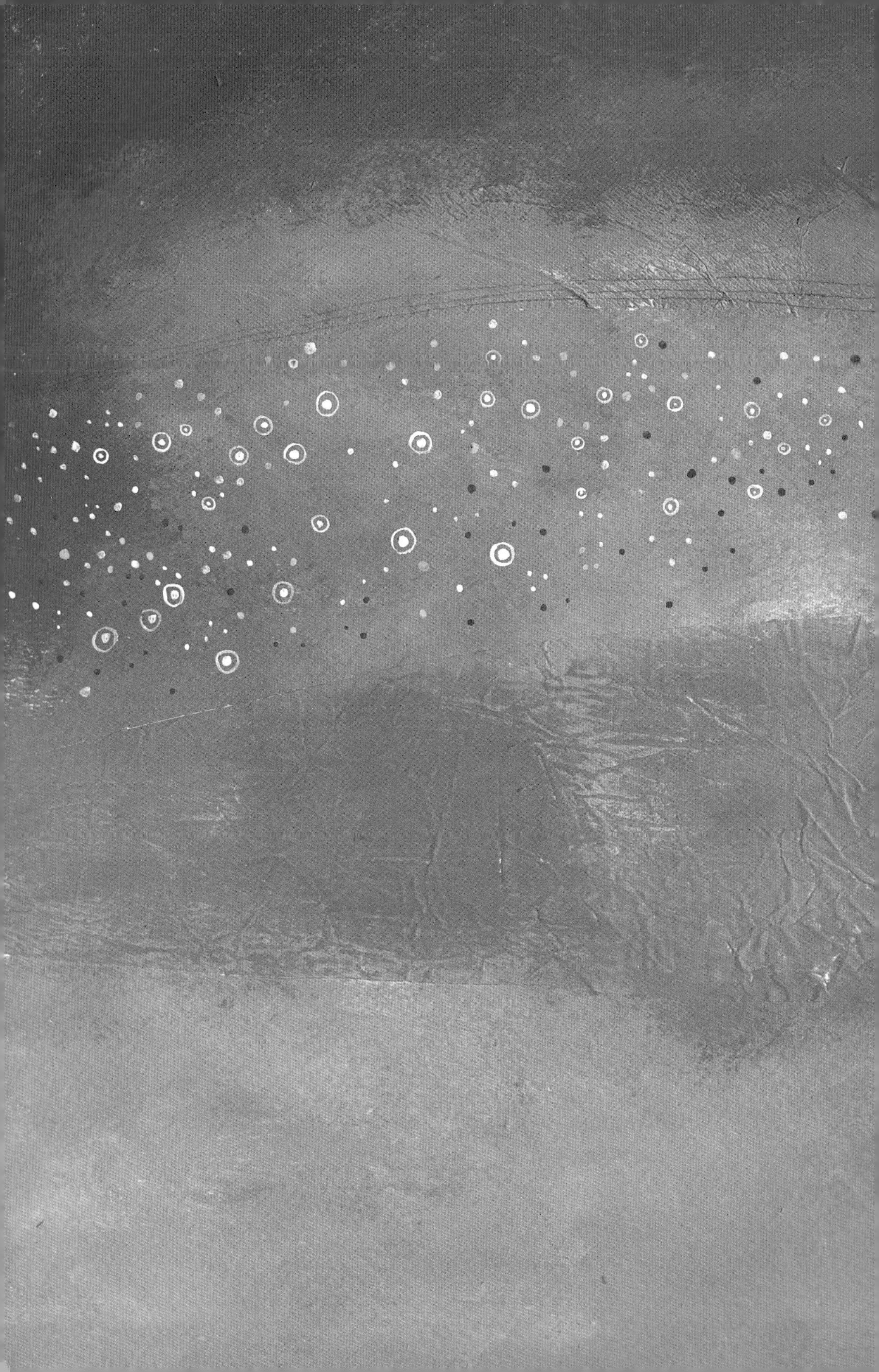